唐玄宗書鶺鴒頌

彩色放大本中國著名碑帖

孫寶文 編

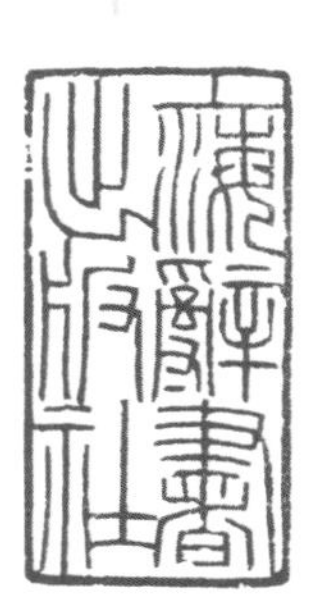

鶺鴒頌

俯同魏光乘作　朕之兄弟唯有五人比爲方伯歲一朝見雖載崇藩屏而有睽談

笑是以輟牧人而各
守京職每聽政之
後延入宮掖申友于
之志詠常棣之詩邕

笑是以輟牧人而各守京職每聽政之後延入宮掖申友于之志詠常棣之詩邕

邕如怡怡如展天倫之愛也秋九月辛酉有鶺鴒千數栖集於麟德之庭樹竟旬

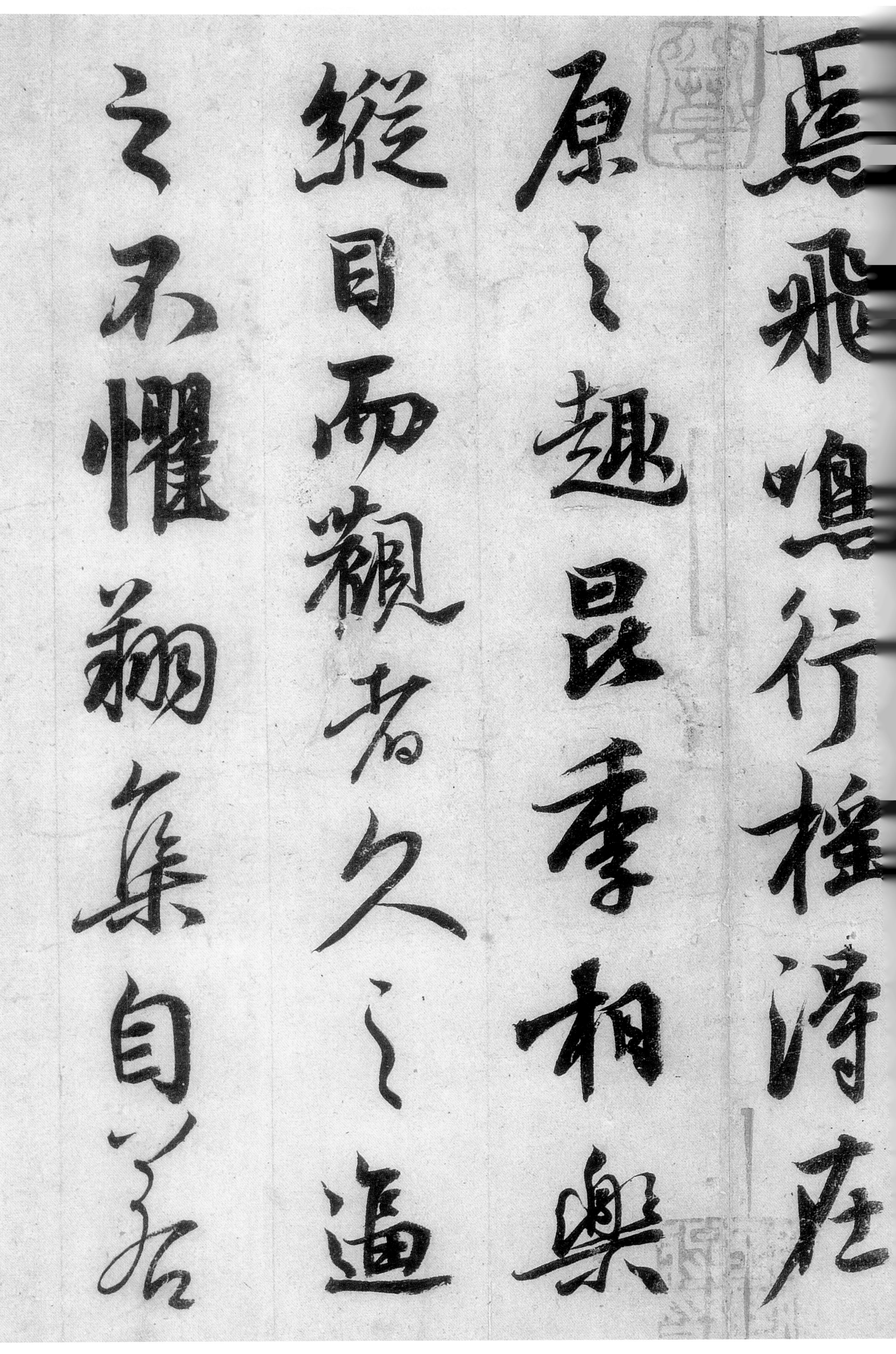

焉飛鳴行摇得在原之趣昆季相樂縱目而觀者久之逼之不懼翔集自若

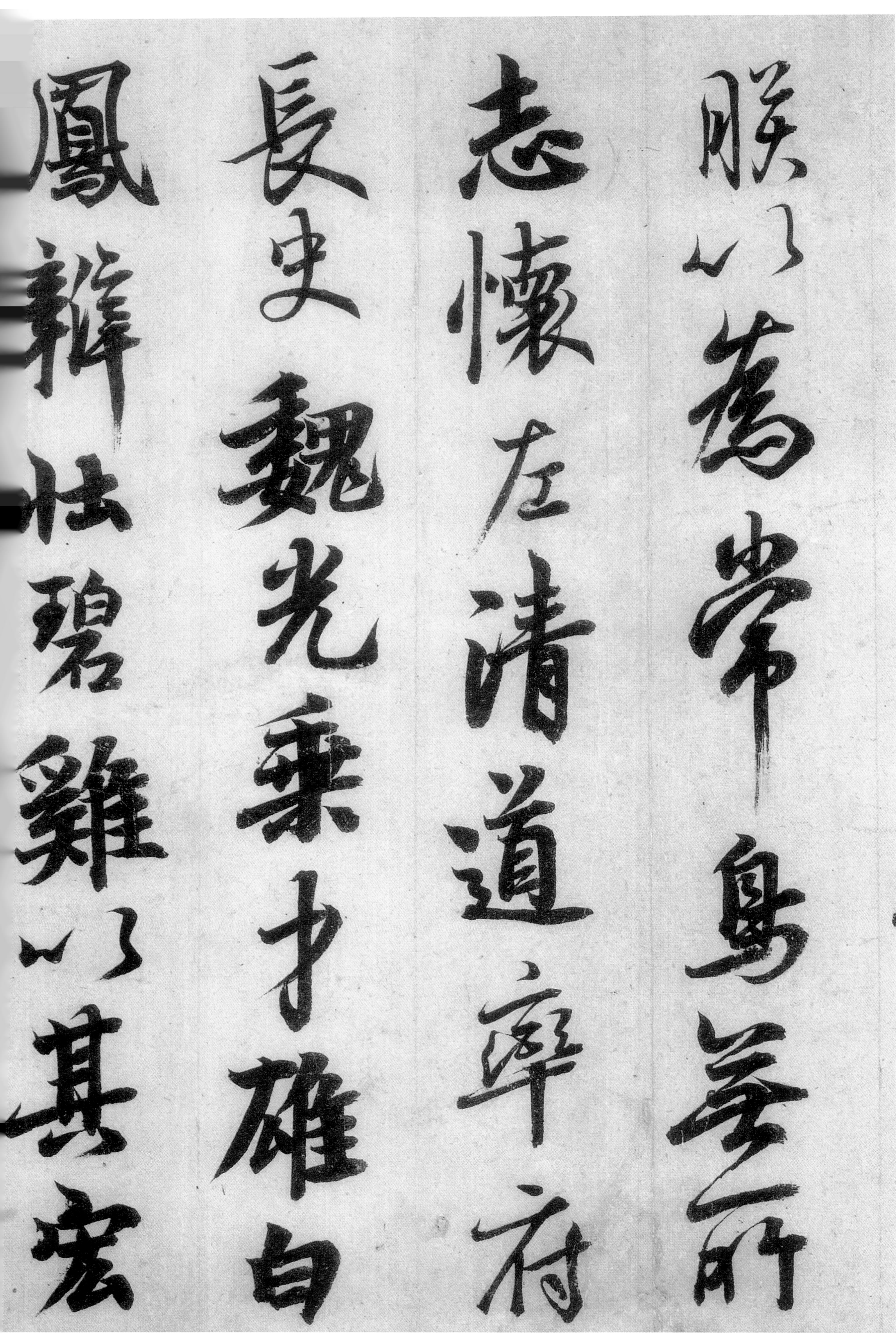

朕以爲常鳥無所志懷左清道率府長史魏光乘才雄白鳳辯壯碧雞以其宏

達博識召至軒檻預觀其事以獻其頌夫頌者所以揄揚德業褒讃成功顧

達博識召至軒檻預觀其事以獻其頌夫頌者所以揄揚德業褒讃成功顧

循虛昧誠有負矣美其彬蔚俯同頌云

伊我軒宫奇樹青葱藹周廬兮冒霜

停雪以茂以悦恣卷舒兮連枝同榮吐緑含英曜春初兮蓐收御節寒露微

結氣清虛兮桂宮蘭
殿唯所息宴栖雍
渠兮行摇飛鳴急
難有情、有餘兮

結氣清虛兮桂宮蘭殿唯所息宴栖雍渠兮行摇飛鳴急難有情情有餘兮

顧惟德涼夙夜兢惶慚化疎兮上之所教下之所效實在予兮天倫之性魯衛分政

顧惟德涼夙夜兢惶慚化疎兮上之所教下之所效實在予兮天倫之性魯衛分政

親賢居兮爰遊爰處爰笑爰語巡庭除兮觀此翔禽以悅我心良史書兮

勅

臣聞唐有天下不能
追法先王其政之所施
與士之所學皆同乎流
俗合乎汙世其文鄙朴
無復風雅閑允中葉
號為極治而遺風餘烈
無可稽考世稱明皇
脊令頌最為翰墨文

章之美伏蒙
宣示真蹟其書札詞
語始知臣前言不誣臣
伏觀者
聖製圖賦羲畫遒逞
奎文藻煥非騷人嫉世
憤懣之詞真
聖人孝友格物之義以
皮今千々

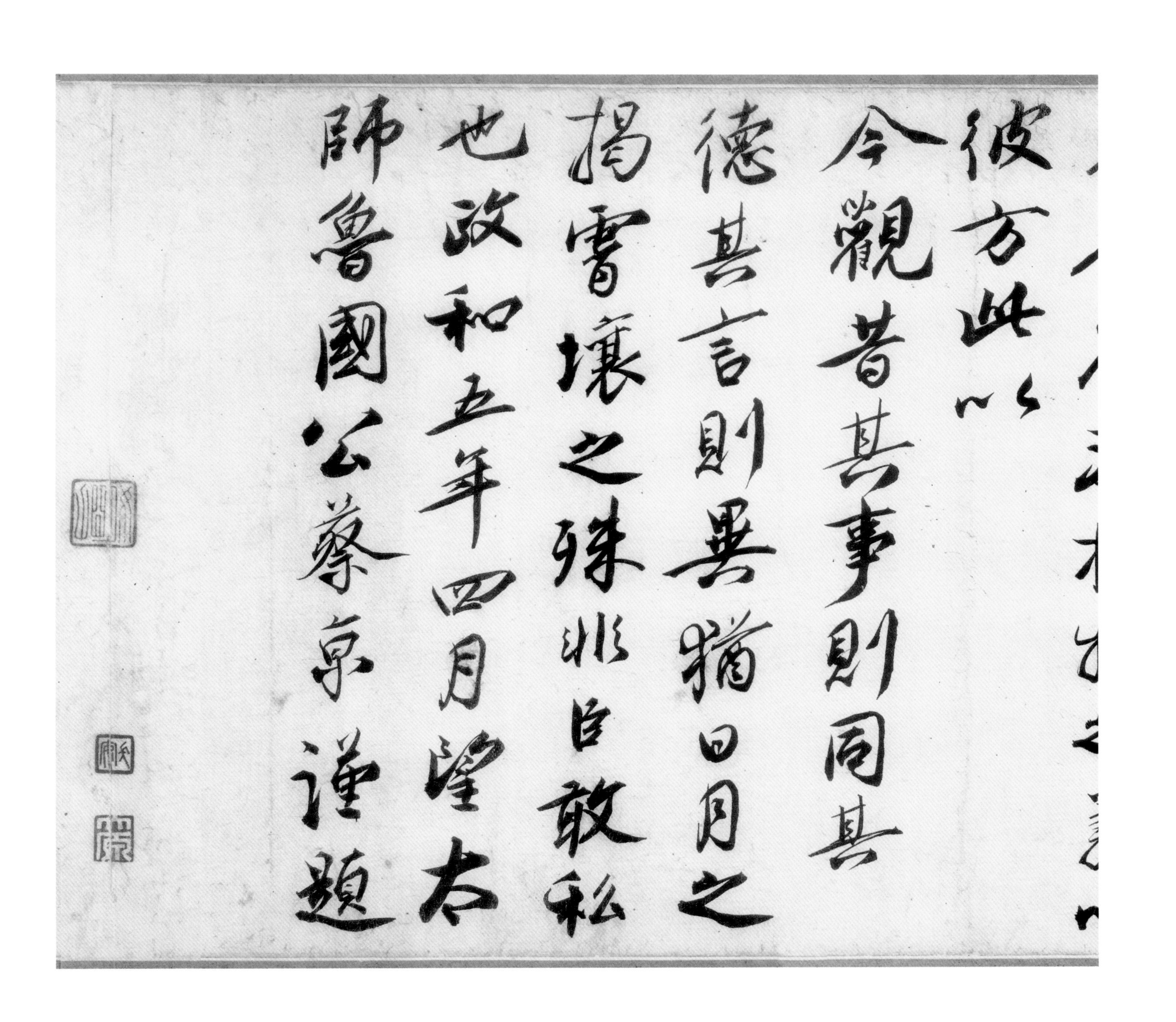

彼方此以
今觀昔其事則同其
德其言則異猶日月之
揭霄壤之殊非臣敢私
也政和五年四月望太
師魯國公蔡京謹題

唐明皇於兄弟間以
友愛稱時有脊令
數千棲麟德之庭
木間君臣賡頌以為
美談
聖上紹述
先烈發揮

梧廟之志臣細畢
舉是以斯禽一日同
集後苑龍翔池奴
以萬叶蓋子法求之
有也
上既親御丹青圖
其狀又作為雅詩以

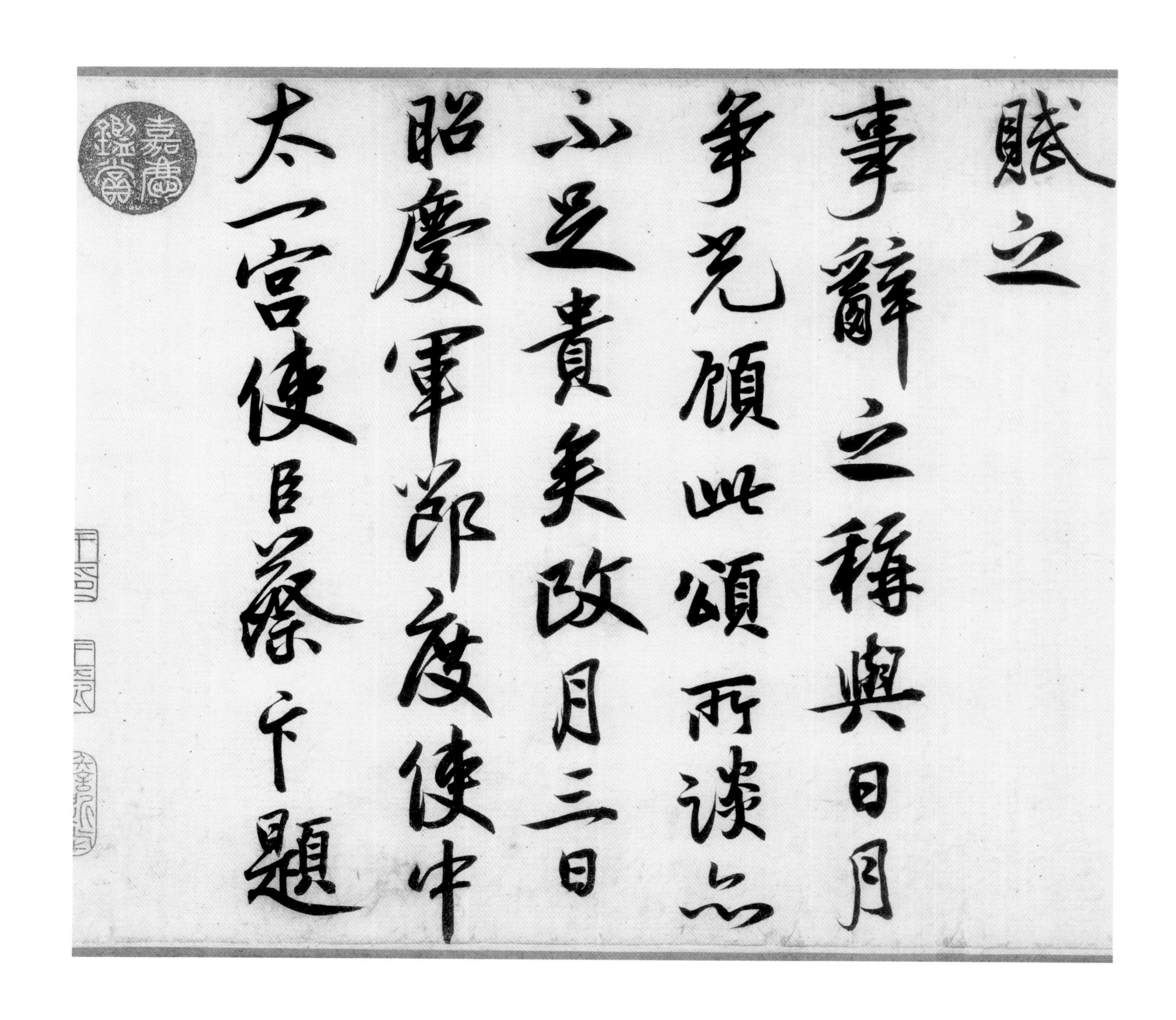
賦之
事辭之稱與日月
爭光頌此頌所謂亦
足貴矣政月三日
昭慶軍節度使中
太一宮使臣蔡京下題